Le jardin secret d'Akiko

Nadja
Julie Camel

playBac

I ♥ TOKYO

Akiko rencontre sa grand-mère

Akiko et son père descendent du train à la petite gare de Shimoichi, au sud du Japon. Akiko va passer ses vacances chez sa grand-mère, à la campagne, en attendant que son père trouve un nouvel appartement, et quelqu'un pour s'occuper d'elle.
Elle est un peu inquiète, car elle ne la connaît pas, et son père lui en a très peu parlé. Il faut dire que, avec tous ses soucis, il ne parle pas beaucoup.

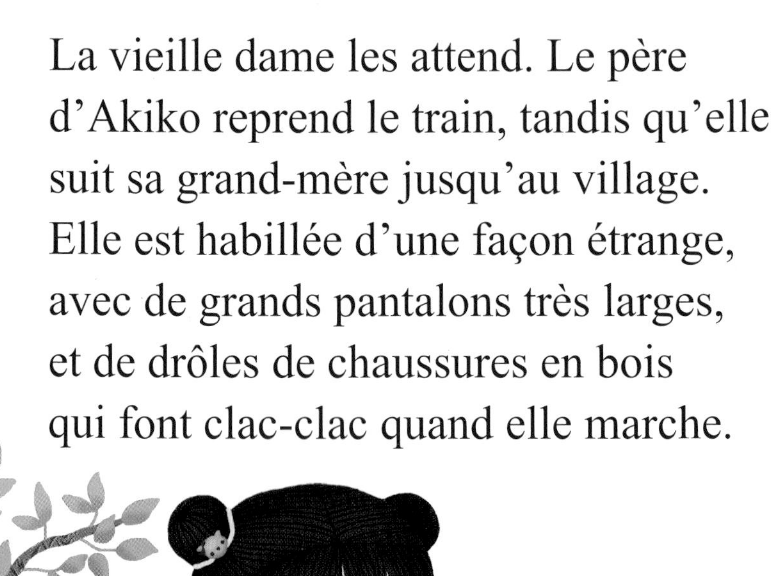

La vieille dame les attend. Le père d'Akiko reprend le train, tandis qu'elle suit sa grand-mère jusqu'au village. Elle est habillée d'une façon étrange, avec de grands pantalons très larges, et de drôles de chaussures en bois qui font clac-clac quand elle marche.

Arrivée dans la petite maison tout en bois, Akiko découvre sa chambre. Par la fenêtre, elle voit les toits du village parmi les arbres, et la montagne se découper sur le ciel.

Akiko regrette ses journées à la ville, où elle pouvait voir Tsumiko, sa meilleure copine, et jouer avec elle. En la voyant s’ennuyer, sa grand-mère lui apprend à faire le feu dans l’**ironi**, un drôle de trou au milieu du salon, à préparer les repas, à cueillir des légumes dans le jardin.

– Tu sais, ça passe vite, un mois, lui dit-elle gentiment.

Quand Akiko a son père au téléphone, elle le supplie de venir la chercher.

– Comme si je n'avais pas assez de problèmes ! lui répond-il, mécontent. Il met fin à la conversation.

Chaque jour, elle va toute seule faire des courses à l'épicerie. Le chemin est bordé de haies, où les oiseaux s'envolent à son approche, puis reviennent se poser, curieux.

Un matin, elle remarque une sorte de passage dans une haie de bambous et regarde ce qu'il y a derrière.

C'est un jardin. Akiko ne peut pas voir grand-chose, car il disparaît sous de hautes herbes, mais elle devine qu'il a été très beau, avant d'être abandonné. Elle pose son sac de courses et se faufile, d'un pas hésitant, à travers les hauts bambous.

Au milieu du jardin, il y a une sorte de petit lac, entouré de jolis rochers tout ronds. Plus loin, un magnifique pin bleu étend ses branches au-dessus d'une maison abandonnée.

– Ploc ! fait une petite grenouille,
en sautant dans l’eau.
Puis tout redevient silencieux.
Un grand calme envahit Akiko,
comme si tous ses soucis disparaissaient.
Elle se sent bien, merveilleusement bien.

Un secret bien gardé

– Ah, te voilà, dit sa grand-mère,
en la voyant rentrer.
Elle est en train de préparer des **sushis makis** pour le dîner.
– Je me demandais où tu étais passée.

Akiko ne lui parle pas du jardin.
Elle ne veut en parler à personne.
C'est son secret.

Elle s'y rend un petit moment chaque jour. Les grenouilles se sont habituées à elle et restent tranquillement sur les feuilles de nénuphar, pendant qu'elle ôte les feuilles mortes. Elle a dégagé dans l'herbe de belles pierres plates, qui forment comme un chemin jusqu'à la vieille demeure. Mais, pour supprimer les mauvaises herbes, il lui faut un outil.

En fouillant dans le jardin de sa grand-mère, elle trouve un petit râteau, qui n'a l'air de rien. Mais, en le regardant plus attentivement, elle remarque quelque chose qui brille. Sous les taches de terre, le petit râteau est tout doré, et d'étranges signes apparaissent sur le manche un peu recourbé.

Quand elle revient dans son jardin,
et commence doucement à passer le petit râteau, il se passe une chose extraordinaire. Dans les sillons des petites griffes d'or, l'herbe repousse, douce et verte, tandis que des fleurs s'ouvrent à chaque passage.

Jour après jour, le jardin devient
tel qu'Akiko l'a imaginé.

– Les vacances sont finies, annonce un soir sa grand-mère en soupirant. Ton père va venir te chercher.
Akiko repousse son assiette et monte dans sa chambre, bouleversée.

Son père arrive le lendemain, encore plus nerveux que d’habitude.

– Je n’ai pas trouvé d’appartement, dit-il, les sourcils froncés par l’inquiétude. Je ne sais pas comment je vais faire !

Chapitre 3

Akiko refuse de partir

Au moment de monter dans la voiture pour aller à la gare, Akiko s'enfuit en courant. Son père se fâche.

– Akiko ! Qu'est-ce qui te prend ?
Reviens tout de suite !

Il court après elle dans le sentier, et la voit disparaître dans la haie de bambous.

Akiko contemple son jardin pour
la dernière fois. Le cœur gros, elle fait
ses adieux aux fleurs, aux arbres,
aux grenouilles, dans la lumière dorée
du soleil qui descend à l'horizon.

Elle passe lentement le petit râteau sur
le sol devant la maison, et, une fois de plus,
des petites tiges se dressent, couvertes
de fleurs blanches qui brillent comme
des perles.

Son père entre dans le jardin. Il découvre
alors le petit étang, qui brille au milieu
des rochers. Le magnifique pin bleu,
et la maison encore si belle. Et surtout,
les fleurs de toutes les couleurs qui se
balancent doucement sous la brise légère.
– Regarde, dit Akiko. C'est mon jardin.

La grand-mère d'Akiko, arrivant auprès d'eux, écarquille les yeux.
– Qu'est-ce qui s'est passé ici ? C'était un vieux terrain vague, et c'est devenu un merveilleux jardin !
– C'est moi qui l'ai fait, dit tout doucement Akiko.

– Oh ! dit sa grand-mère. Voilà pourquoi je ne trouvais plus mon petit râteau !
Et elle ajoute, un peu plus bas :
– Je savais qu'il t'attendait.
La petite fille vient se blottir dans ses bras.
– Je ne veux pas partir d'ici ! dit-elle, les yeux remplis de larmes.

– Il faut y aller, maintenant, Akiko-chan, dit son père d'une voix douce.
C'est le petit nom qu'il lui donnait avant, quand il n'avait pas tous ses problèmes.

Il lui tend la main, et Akiko la prend,
en baissant la tête.
– Je crois que j'ai une idée ! dit soudain
sa grand-mère. Venez avec moi.
Derrière la maison, Akiko, assise
sur la balançoire, l'entend parler très
longtemps à son père dans la cuisine.

Enfin, son père sort de la maison. Akiko se lève tristement, se préparant au départ. Mais son père s'accroupit devant elle. Il a un air bizarre.

– Si j'achetais la vieille maison… tu voudrais y habiter avec moi ? demanda-t-il, l'air grave. Bien sûr, il faudra que je la répare…

Le cœur d'Akiko fait un bond, elle lui entoure le cou de ses petits bras.

– Je pourrai inviter Tsumiko pour les vacances ?

– Bien sûr, répondit son père.

Et ses yeux pétillent de joie.

Joue avec Akiko

Vrai ou faux ?

Au début de l'histoire,
Akiko est contente de vivre
un peu chez sa grand-mère.

Quel objet magique Akiko découvre-t-elle ?

1. Un arrosoir.
2. Un râteau.
3. Un livre.

Quel est le pouvoir magique de l'objet ?

1. Faire pousser des fleurs.
2. Faire disparaître les vers de terre.
3. Faire briller le soleil.

Vrai ou faux ?

À la fin de l'histoire,
Akiko n'a plus envie de repartir.

Quel est le vrai râteau magique ?

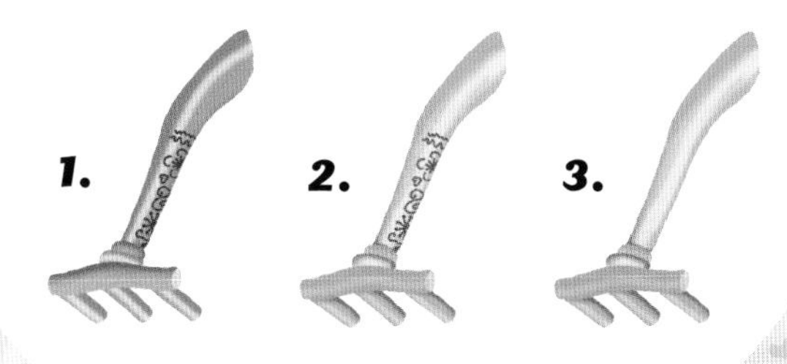

Réponse : 2.

Devine quel personnage de l'histoire est décrit :

Indice n° 1 :
J'habite dans une maison en bois.

Indice n° 2 :
Je porte de drôles de chaussures en bois.

Indice n° 3 :
Je suis la propriétaire du râteau magique.

Indice n° 4 :
Je suis très vieille.

Réponse : La grand-mère d'Akiko.

Retrouve
dans la même collection